Gente
editora

Caro leitor,

Queremos saber sua opinião sobre nossos livros. Após sua leitura, acesse nosso site (www.editoragente.com.br), cadastre-se e contribua com sugestões, críticas e elogios.

Boa leitura!

Eduardo Carmello

Supere!
a arte de lidar com as adversidades

Gente
editora

Editora
Rosely Boschini

Editora assistente
Rosângela Barbosa

Produção
Tiago Cintra Silva
Marcelo Souza Almeida

Assistente de produção
Isabela Helou

Capa e projeto gráfico
Washington Leite

Revisão
Maria Alayde Carvalho
Márcia Melo

Impressão e acabamento
Sermograf

Copyright © 2004 by Eduardo Carmello

Todos os direitos desta
edição são reservados à Editora Gente.
Rua Pedro Soares de Almeida, 114 , São Paulo, SP
CEP 05029-030 - Telefax: (011) 3675-2505
Site: www.editoragente.com.br
E-mail: gente@editoragente.com.br

Dados Internacionais de Catalogação na Publicação (CIP)
(Câmara Brasileira do Livro, SP, Brasil)

Carmello, Eduardo

Supere! – a arte de lidar com as adversidades / Eduardo Carmello. — São Paulo : Editora Gente, 2004.

ISBN 978-85-7312-411-8

Bibliografia.

1. Resiliência (Traço da personalidade) 2. Solução de problemas I. Título: A arte de lidar com as adversidades.

03-7032   CDD-158.1

Índice para catálogo sistemático:
1. Resiliência : Psicologia aplicada   158.1

"A verdadeira medida de um homem não é como ele se comporta em momentos de conforto e conveniência, mas como ele se mantém em tempos de controvérsia e desafio".

Martin Luther King

Dedico este livro aos meus queridos pais, Enio e Irene, que até hoje continuam enfrentando dignamente suas adversidades. À minha irmã, Adriana, de quem me orgulho muito pela sua incrível capacidade de superação. À minha belíssima mulher, Luciana, por me ensinar a ser mais paciente e melhor pai. Ao meu apaixonante filho, Gabriel, que já nasceu guerreiro. Aos meus "amigos" africanos e indígenas, que suportaram tanta crueldade e preconceito dos colonizadores, utilizando essa situação para ficar mais fortes, seguros e imbatíveis.

Agradecimentos
Aos amigos consultores Inês Cozzo Olivares, Guilhermo Santiago, Roberto Hirsh, Rita Passos, Cecília Shibuya, Salete Aversano e Leonardo Wolk pela imensa inspiração.

Aos cavaleiros
Maurício, Luciano, Edgar, Tico, René e Fernando pela vibrante chama artística.
Aos amigos
Adriana da Silva, Tuim, Tárika Lima, César de Souza e Antonio Milani.

{ *As adversidades*
podem *extrair* o que
há de melhor em você. }

Certa vez levei meu filho *de 6 anos* a um restaurante e ele me perguntou se podia fazer uma oração de agradecimento.

Quando concordei, ele disse:
— Deus é bom. Deus é maravilhoso. Obrigado pela comida. E eu ficarei ainda mais agradecido se meu pai me der sorvete como sobremesa. E liberdade e justiça para todos! Amém!

Entre as risadas dos outros clientes, eu escutei uma mulher comentar:

— É isso que está errado com este país. As crianças de hoje não sabem nem como rezar. Pedir sorvete a Deus! Eu nunca vi isso!

Escutando isso, meu filho *rebentou em lágrimas* e me perguntou:
— *Eu fiz uma coisa errada? Deus está zangado* comigo?

Enquanto eu o abraçava, assegurei a ele que havia feito uma oração maravilhosa e que *Deus, com toda a certeza,* não estava zangado com ele.

Um cavalheiro mais idoso se aproximou da mesa, deu uma piscada para meu filho e disse:
— Eu fiquei sabendo que Deus achou que foi uma grande oração.
— Mesmo? — perguntou meu filho.
— Dou a minha palavra — respondeu o homem.

Então, num sussurro teatral, ele acrescentou *(indicando a mulher cujo comentário havia desencadeado a coisa toda):*
— Que pena que ela nunca tenha pedido sorvete a Deus. Às vezes, um pouco de sorvete faz bem para a alma.

Naturalmente, eu comprei sorvete para meu filho no fim da refeição. Ele olhou fixamente para seu sorvete por um momento e então fez algo de que me lembrarei pelo resto da vida. Ele pegou o seu sundae e, sem uma palavra, caminhou na direção da mulher e colocou-o na frente dela. Com um grande sorriso disse:

— Aqui, este é para você! Sorvete às vezes é bom para a alma, *e a minha já está bastante* boa.

Este livro é
totalmente inspirado
no belo e instigante
conceito
de resiliência,

que significa a capacidade de um indivíduo manter uma conduta sã em ambientes *insanos*, ou seja, a capacidade de o indivíduo sobrepor-se e construir-se positivamente diante das adversidades. Meu objetivo com este livro é ajudá-lo a encarar suas *adversidades* como oportunidades de mostrar e aprimorar sua força, sua competência e seu entusiasmo e utilizar essa experiência para lapidar seu caráter e seu espírito, saboreando uma profunda conexão com a vida. Meu desejo é de que você descubra neste livro um conjunto de conhecimentos que o inspirem a encontrar idéias e soluções criativas para fazer frente às altas exigências do *mundo moderno*.

Com inteligência e sabedoria, *você pode ganhar o mundo.*

A palavra resiliência vem do latim resilio, que significa *"voltar ao estado natural"*.

A física utilizou esse termo para expressar a *"capacidade de um material voltar ao seu estado normal depois de ter sofrido uma pressão"*. O campo das ciências humanas utilizou o conceito para descrever a capacidade humana de *responder* de forma mais consistente aos desafios e dificuldades que aparecem na vida. Pessoas *resilientes* são aquelas que utilizam sua força, flexibilidade, inteligência e otimismo para enfrentar e superar circunstâncias *desfavoráveis*.

Pessoas com características *resilientes* fazem com que a pressão trabalhe em seu favor.

{**Elas** conseguem essa façanha por disponibilizar todos os seus recursos e capacidades internas para fazer frente a todas as exigências e estímulos, enfrentando-os e gerenciando-os efetivamente.

Utiliza-se a *resiliência* para:

{ *Ser* flexível perante a adversidade.

{ *Ter* e *sustentar* excelente desempenho.

{ *Ser autenticamente* otimista.

{ *Correr* os riscos necessários.

{ *Progredir* com as mudanças.

{ *Permanecer* saudável, enérgico e cheio de vida.

{ *Assumir* desafios difíceis e complexos.

{ *Perseverar.*

{ *Inovar* para descobrir soluções.

{ *Pensar* e solucionar problemas rapidamente.

{ *Aprender*, crescer e se aperfeiçoar.

{ *Realizar* os mais nobres sonhos.

[Assumir o risco de *enfrentar* algo maior que nós mesmos]

Todos temos medo de muitos dos desafios que a *vida* nos apresenta.

E é preciso *confessar* que às vezes fugimos deles.
É fácil nos desviarmos de nossas responsabilidades e lançarmos a culpa dos nossos dissabores nos outros...
É fácil também dizer que entre os seres humanos isso é *absolutamente natural*...
Essa atitude, porém, é pouco eficiente. Por isso sempre busquei muita coragem e força para revelar meus pensamentos, sentimentos e idéias de maneira aberta, sincera e honesta, procurando enfrentar os desafios. Para isso sempre me inspirei em heróis, guerreiros e aventureiros...
Ao conhecê-los profundamente descobri que muitos também fugiram de suas adversidades. Contudo, por mais que a fuga parecesse o melhor caminho, havia sempre um incômodo e uma insatisfação em sua mente e em seu coração que os faziam voltar e encarar firmemente a situação, adentrando a misteriosa e perigosa jornada rumo ao desconhecido.
O herói ensina que a motivação para enfrentar a adversidade está na coragem de assumir o risco de perder tudo por algo que faça valer a pena *viver:*

o *amor*,
a admiração
ou o *respeito*
por outra
pessoa.

Responder *ao chamado* de braços abertos.

Ninguém consegue realizar nada sem a inspiração ou a ajuda dos outros. Ninguém chega lá sem uma relação de *ajuda mútua*. O sabor da conquista e o desfrute do orgasmo, porém, são atos individualizados. Essa é uma das regras *imutáveis* da aventura.

Podemos encontrar juntos a passagem secreta para a transformação, mas a travessia da porta que nos levará ao outro mundo precisa ser feita individualmente.

Portanto, quero que saiba que posso aceitar suas dificuldades e reconhecer seus sentimentos. Pessoas podem se ajudar a conquistar suas vitórias.

Podemos juntos nos preparar melhor para enfrentar as circunstâncias que a vida nos apresenta e discutir qual é o melhor caminho a empreender. Mas a regra da vida ensina que a escolha da estrada, a ultrapassagem da porta e a resposta aos efeitos dessa decisão são *responsabilidade* de cada um.

Voar não é pedir a um *pára-quedista que faça o salto por nós*. *Só voa quem se joga de braços abertos* para a vida e aterrissa com os próprios pés no chão.

Em Biologia *utiliza-se o termo* resiliência para expressar a capacidade de um sistema de *manter-se firme, flexível e integrado* durante um embate ou *recuperar-se* prontamente de traumas, doenças e adversidades.

É importante

observar que a *resiliência* não deve ser considerada um traço de personalidade nem uma *capacidade* fixa e *invulnerável*.

Da mesma forma que cada um de nós está competente *(e não é competente)*, *resiliência* é uma capacidade que pode variar através do tempo e de acordo com o ambiente e a circunstância a que a pessoa se submete.

Um *médico* pode suportar a *enorme pressão* de trabalhar na emergência de um pronto-socorro e, ao mesmo tempo, não ter a mínima paciência para ouvir o choro do filho de 6 meses durante a madrugada.

Estar
resiliente

em cada *segundo* da vida, portanto, é fazer o melhor uso possível de qualidades como *flexibilidade, assertividade, otimismo, confiança, criatividade, intuição, foco, adaptabilidade e perseverança.* Essas qualidades o levarão a patamares mais altos de conhecimento e compreensão sobre quem é você e qual será a melhor forma de viver a *vida* e *lidar* com *situações de pressão.*

Talvez não seja *sempre possível escolher* **os próprios desafios,** **e muitas vezes não** gostamos das circunstâncias que a vida nos apresenta. Muitos não querem participar de uma guerra, *perder o emprego, ser rejeitados pela pessoa amada.* Mas cada um pode escolher como interpretar e como responder às circunstâncias indesejáveis da vida. Toda pessoa tem a possibilidade de se portar *como* protagonista *e* transformar *a* adversidade *em um* desafio *que vale a pena ser encarado e* num aprendizado que vale a pena ser experimentado.

adversidade

Eis o que normalmente
acontece com

80%

das pessoas quando *têm de* enfrentar uma *adversidade:* A eficácia de suas competências diminui ou praticamente desaparece quando passam por situações que interpretam como *imprevisíveis, adversas, turbulentas ou ameaçadoras.*

Os outros **20%:**

Conseguem manter-se competentes em ambientes de pressão e utilizam suas *características afetivas, comportamentais e cognitivas* para enfrentar uma situação adversa com sucesso. Essas pessoas buscam agir como protagonistas e decidem como responderão, por exemplo, *ao mau humor,* ao desespero e à raiva dos outros.

{ Cuidado com as respostas automáticas

Saiba que em situações de *tensão* é bem provável que você repita velhos modos habituais de fazer as coisas.

Se você não está sensível à sua energia emocional nem ao grau de tensão de seu corpo, sempre que o estresse surge o *cérebro humano liga o piloto automático* e manifesta uma tendência inerente para continuar fazendo as mesmas coisas, apenas de maneira mais intensa.

Você atua como a pessoa de quem se diz que parece não aprender mesmo — *age **sempre da mesma maneira!***

Quando a fadiga e a tensão *aumentam*, muitos ficam de mau humor, perdem o ânimo, o *discernimento* e a *flexibilidade*, vendo-se em situações em que:

{ o **atraso** de um minuto parece durar uma hora.

{ Um comentário descuidado **fere** como repreensão.

{ Um **silêncio** é interpretado como indiferença.

Epílogo

Não, o melhor é não falares,
não explicares coisa alguma.
Tudo agora está suspenso.
Nada agüenta mais nada.

E sabe Deus o que é que desencadeia as catástrofes,
o que é que derruba um castelo de cartas! Não se sabe...

Umas vezes passa uma avalanche e não morre uma mosca...

Outras vezes senta uma mosca e derruba uma cidade.

Mário Quintana

(Sapato florido. In: 80 anos de poesia. 11ª- ed. São Paulo: Globo, 2002)

[Somos, *na maioria das vezes,*
fomentadores
dos próprios problemas:]

Sabe-se que a maioria das turbulências nas empresas, nas escolas e nas famílias é "fabricada".

Sentimentos como *infelicidade, medo, desconfiança, insegurança e ansiedade* acabam multiplicando o tamanho e a intensidade do problema, tornando-o cada vez mais difícil de resolver.

Esteja atento aos gatilhos que o levam ao estresse e o fazem aumentar ainda mais os problemas do cotidiano.
Entregar-se ao estresse pode fazer com que se desvie de suas responsabilidades, delegando o problema e a culpa ao outro.

Criamos as próprias turbulências quando:

1 *As exigências são muito maiores* ou menores que nossos recursos.
2 *Nossa forma de atuar* não está gerando os resultados necessários.
3 *Não conseguimos* manter nem recuperar nossa energia.
4 *Não conseguimos* desenvolver novas habilidades.

{ # As adversidades
sempre lhe darão duas opções:

ficar parado e *fugir delas* ou *enfrentá-las*.

Se escolher a segunda opção, será necessário cruzar os caminhos de transformação e operar uma profunda *mudança em seus padrões de ver e atuar* no mundo.

Seja capaz de *absorver* e *integrar* as importantes informações provindas dessa relação dicotômica e faça o que precisa ser feito: *enfrente-as*.
Dessa forma conquistará o direito de ganhar o passaporte que o conduzirá ao *êxito* e à *prosperidade*.

Interpretando as adversidades como um desafio a superar, você sentirá vontade de avançar, de seguir em frente. Não mais alimentará *pensamentos* e *sentimentos* que fazem com que se desvie de seus objetivos.

Lembre-se: a adversidade existe somente para isso: para que você aprenda e evolua.

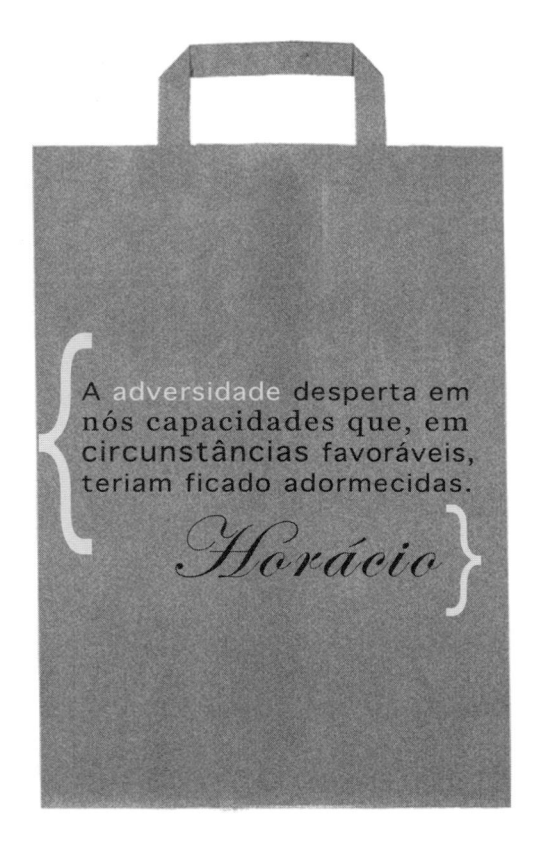

{ A adversidade desperta em nós capacidades que, em circunstâncias favoráveis, teriam ficado adormecidas. *Horácio* }

O antropólogo *Carlos* Castañeda

dizia que a diferença entre um homem comum e um guerreiro é o fato de que o primeiro encara todas as situações da vida como bênção ou castigo, sorte ou azar, enquanto o guerreiro as vê como um desafio a experimentar. O guerreiro busca conhecer e lidar com suas dificuldades para poder vencê-las em favor de seu desenvolvimento. Ele sabe que, vencendo suas dificuldades, aprimora atitudes e procedimentos, conseguindo assim o melhor de si mesmo diante de qualquer situação que se apresente.

A flor que nasce da adversidade é a mais *formosa* e *bela* de todas.

Provérbio chinês

Protagonista é aquele que decidiu interpretar a *adversidade* como uma circunstância e um aprendizado da vida....

...e escolheu a inteligência e a esperança
em vez da autopiedade *e do* desespero.

O resiliente é um ator.

Ele decide como agir.

O primo Cláudio, que passa umas férias na casa de José, acompanha-o na sua caminhada matinal à padaria. José cumprimenta gentilmente o dono da padaria, mas como resposta recebe um tratamento **rude e grosseiro**.

Pegando os pães que foram atirados em sua direção, José sorriu polidamente e desejou um ótimo dia ao dono do estabelecimento. Quando os dois primos voltavam para casa, *Cláudio perguntou:*

— **Ele sempre o trata com tanta grosseria?**

— *Sim,* infelizmente é sempre assim.

— E você é sempre tão polido e amigável com ele?

— Sim, **sou.**

— Por que é tão educado, já que ele é tão grosseiro com você?

— Porque não quero que **ele** decida como eu devo agir.

Com base nessa historinha, pense na forma como você poderá ter a melhor *performance* quando:

{ Estiver preso no trânsito da tarde de sexta-feira.

{ Tiver uma noite de amor.

{ O pagamento atrasar.

{ Estiver cuidando dos filhos ou dos pais por muito tempo.

Você
não pode
controlar
o que
irá
sentir,
quando
irá sentir
nem quanto
isso será
forte.
Mas você
pode criar
escolhas:
como
reagir
quando
se sentir
assim.

Daniel Goleman

Não
seja o slogan de ninguém.
Você é poesia!

Uma mulher muito bonita e simpática chega a uma velha cidade e é recebida com inveja e petulância. As mulheres do povoado rapidamente marcam sua presença presenteando-a com uma bandeja antiga e velha, cheia de lixo e esterco. A mulher recebe o presente e manda dizer que em breve retribuirá a graça. Ela restaura e dá um belo polimento à bandeja e a devolve com belíssimas e raras flores acompanhadas de um saboroso e perfumado bolo de nozes.

Por fora do presente um cartão com os dizeres: *Cada um dá aquilo que tem de melhor.*

As pessoas resilientes:

Conseguem *recuperar-se*
facilmente de um desapontamento ou uma frustração.

Conseguem *relaxar* e se orientar em momentos difíceis.

São pacientes e ***conseguem* ver**
o lado cômico das situações.

Podem *facilmente*
afastar distrações quando precisam se concentrar.

Conseguem *identificar* e *administrar*
seus sentimentos e suas emoções em ambientes imprevisíveis ou emergenciais.

Pedem *ajuda*
quando não são capazes de enfrentar algum problema sozinhas.

Estão *em constante*
contato com seus sonhos e firmes em seus propósitos.

Não precisamos percorrer sozinhos os grandes riscos da aventura, pois os heróis de todos os tempos o fizeram antes de nós.

O caminho é bem conhecido. *Basta apenas seguir os* passos do herói.

E lá, onde pensávamos encontrar algo abominável,

encontraremos um deus;

onde pensávamos ter de matar algo, mataremos a nós mesmos;

onde pensávamos viajar para fora,

viajaremos para o centro de nossa própria existência.

E lá, onde pensávamos estar sozinhos,

estaremos na companhia do mundo inteiro.

Poema de Joseph Campbell, no livro O poder do mito.

Como uma pessoa resiliente responde à *adversidade?*

Paul G. Stoltz, um consultor americano especialista em adversidades, afirma que as pessoas têm grandes chances de sucesso quando desenvolvem uma capacidade específica, que ele denominou de capacidade de reação e que é a habilidade de manter clareza, concentração e rumo em momentos repletos de adversidades.

Trata-se antes da *deliberada* e *extraordinária* determinação de só dar a mais profunda, elevada e rica resposta à exigência, ainda que desconhecidas sua causa e sua finalidade.

Enfrentar a situação com os olhos e o coração abertos dá a dimensão da capacidade de reagir com eficácia a tudo o que aparecer pela frente, permitindo que o resultado seja a redução do problema a um patamar possível de enfrentar e resolver.

A *estratégia* pessoal *de um* resiliente *constitui* a forma através da qual ele manifesta *atitudes* e *pensamentos*, interagindo de *modo singular* com um mundo mutável, dinâmico e cada vez mais *imprevisível.*

Seu crescimento e *sua* força *são determinados pela compreensão clara de sua missão,* por sua visão de futuro e pela sua consciência dos princípios e valores que o levam a se sentir cada vez mais forte e confiante, ao mesmo tempo que tem profunda humildade e compaixão por seus parceiros. Um dos princípios que regem a pessoa *resiliente* é o poder que ela tem de escolher sua forma de ver e estar no mundo. Ela cria *pressupostos* e *desígnios* que abrirão portas de *oportunidades* para o *desenvolvimento de* qualidades e atributos que posteriormente servirão de *alicerce* e *combustível* de seus projetos.

Posturas e respostas que afastam as pessoas de seu potencial:

- *Excluir-se* da situação:
    "O problema é o presidente, o chefe, o outro".
- *Considerar-se incompetente,* incapaz de mudar:
    "Não consigo e não conseguirei fazer isso".
- *Declarar-se* vítima:
    "Passei a vida inteira trabalhando e só me deram isso como recompensa".
- *Acreditar* que não pode fazer nada diante de uma situação:
    "Só o que tenho a fazer é me conformar".
- *Fechar portas* para possibilidades:
    "Sou assim mesmo e nada vai me modificar".

Posturas e respostas que exploram seu potencial:

- *Incluir-se* na situação:
    "Sou responsável de alguma forma por essa situação".
- *Considerar-se* competente, capaz de mudar:
    "Sei que posso fazer alguma coisa para enfrentar isso".
- *Declarar-se* protagonista:
    "Sou o dono de minhas ações, a responsabilidade não está nas estrelas, mas em mim mesmo".
- *Ter responsabilidade* e sentir-se capaz de aproveitar a experiência de alguma maneira:
    "Se agora não consigo influenciar a situação, posso pelo menos me acalmar e utilizar essa experiência como aprendizado e aperfeiçoamento pessoal".
- *Abrir portas* às possibilidades:
    "Meu ser não se encerra no que sou agora, tenho condições de pensar e agir de forma diferente do que venho fazendo até o momento".

Pressupostos que ajudam e orientam o resiliente a *superar* seus desafios

1

As pessoas não são *perturbadas* pelas coisas em si, mas pela idéia que fazem delas.

Cada um de nós reage aos fatos da vida e se explica de maneira diferente. *Nossa consciência*, que gera nosso modelo de visão de mundo, define como *reagimos às inúmeras situações que a vida nos proporciona*. O teólogo inglês *William George Ward* nos dá uma idéia desse conceito quando demonstra as diferentes reações que um navegador pode ter em alto-mar ao deparar com *ventos desfavoráveis:*

"O pessimista queixa-se do vento, o otimista espera que ele mude e o *realista ajusta as velas".*

2

Toda *limitação* está na observação da situação ou na forma de *enfrentar* a *adversidade*.

Pesquisas da psicologia cognitiva descrevem como os modelos de visão de mundo e explicação interna de certos eventos podem decidir se a pessoa reage ou não à adversidade como se fosse uma *catástrofe*. É o que ilustra a história de dois amigos que caminham, há cerca de cinco minutos, sobre um trilho de trem dentro de um túnel absolutamente escuro.
De repente aparece um clarão.

O primeiro pensa: "Graças a Deus, *acabou o túnel*".

O segundo pensa: "Meu Deus, *lá vem o trem!!!*"

O primeiro é otimista, *ao passo que o segundo é catastrófico:* vê o trem, que passará por cima deles.
Nós não sabemos o que realmente era o clarão, mas sabemos como cada um encarou isso.
E se fosse realmente a luz no fim do túnel? *Pense nisso...*
Os estudos psicológicos revelam que os resilientes acabam atuando de forma *mais inteligente e eficiente,* pois assumem responsabilidade total pelo trato com o problema, avaliando-o de maneira realista.
Imediatamente reconhecem suas possibilidades de enfrentamento, estabelecendo metas de resolução.

3

O *peso* e o tamanho do problema são definidos pelo grau de importância dado a ele *versus* a *forma* como os recursos disponíveis são reconhecidos.

Ao conferir ao problema alto grau de importância e reconhecer como insuficientes os recursos de que dispomos, estaremos criando uma limitação. Veja: são nossos paradigmas *(crenças, regras, padrões)* e pensamentos errôneos *(interpretações distorcidas, equivocadas)* que a constroem.

Sabemos que, se um homem estiver *atravessando* um rio e uma canoa vazia bater em seu barco, mesmo que seja raivoso, ele não se enfurecerá. Mas, se esse mesmo homem avistar alguém dentro da canoa desgovernada, gritará para que a desvie. *Se a pessoa não escutar,* ele gritará novamente, desta vez mais forte. *E começará a xingar e ofender a pessoa* dentro da canoa.

O problema passa a ter dimensão maior *do que a real.*

Na minha vida houve momentos terríveis, alguns dos quais realmente aconteceram.

Mark Twain

4

Quanto mais opções e recursos temos, maior a possibilidade de *enfrentar* e *superar situações adversas.*

Uma pessoa que desenvolve e reconhece seus recursos para enfrentar e transpor *adversidades* tem a competência chamada de resiliência. Para ser uma delas, é preciso:

- Saber adaptar-se
  a mudanças e situações ambíguas.
- Ser capaz de recuperar-se
  de esgotamento, exaustão ou traumas.
- Ser proficiente
  para manter calma, clareza de propósito e orientação em situações adversas.
- Ser capaz de pensar estrategicamente
  e tomar decisões acertadas mediante pressão.
- Liderar sistemas de trabalho complexos
  e adotar condutas flexíveis na resolução de problemas.
- Ser capaz de trabalhar eficazmente com parceiros e superiores
  em problemas de complexa resolução.

O *arco*-íris não é, apenas está.

{ *Estados* específicos
que nos ajudam a superar desafios }

Assim como o arco-íris,
*podemos desenvolver estados que nos ajudam a
superar desafios.*

Esteja **flexível** e adaptado

A qualquer momento a estrutura à qual você está acostumado pode ser substituída por outra, nova e diferente, que exigirá adaptação. Desvie-se das lanças da turbulência. Atue em várias áreas ao mesmo tempo.

Aprender a adaptar-se é encontrar novas trilhas e novas formas de atuar, mantendo o foco no propósito.

É perfeitamente possível ajustar suas estratégias e atitudes sem necessariamente perder seus valores.

Cultive a flexibilidade e a imaginação para fazer isso mesmo num momento de crise, mesmo que duvide de si próprio.

O coala

é um *bicho* charmoso *especializado* em comer folhas de uma variedade muito particular de eucalipto.

É seu único alimento.

Suas garras são perfeitas para subir nesse tipo de árvore, em nenhuma outra.

Sua cara encantadora e a aparência que inspira carinho revelam uma singular vulnerabilidade.

O coala especialista só sobe naquela árvore e só come aquela folha.

Imagine

o que aconteceria com ele se esse tipo de eucalipto fosse destruído por alguma *catástrofe!*

Esteja Focado

Mantenha o propósito e o objetivo mesmo em situações críticas. Estar *focado é* estar sempre bem situado e orientado aqui e agora.

esteja [focado]

Comportamentos que desviam do enfrentamento:
- **Utilizar** um tempo precioso para conversar sobre outros assuntos.
- **Aceitar** que outros tomem decisões por você.
- **Dedicar** tempo excessivo ao lado negativo das situações.
- **Desligar-se** ou **resignar-se** quando a turbulência surge.

esteja positivo

Enxergue e transforme adversidades
em *desafios* e *oportunidades*.

Expresse os
sentimentos

Quando se trata de emoções, sabemos não poder controlar o que sentimos, quando elas ocorrem nem sua *intensidade*.

O que podemos fazer é decidir quanto tempo queremos que a emoção dure e de que modo vamos *canalizá-la*.

Se, por exemplo, seu superior lhe disser algo ríspido sem motivo, você provavelmente ficará com *raiva dele*. Essa emoção ficará "entalada em sua garganta" ou você poderá "engolir em seco" e fazer dela uma gastrite. Em vez de guardar a vida inteira esse ressentimento, procure respirar e se dar uma hora para refletir e descobrir como irá gerenciar melhor essa raiva. Não guarde nenhum rancor por mais de uma semana e canalize sua energia para o esclarecimento e a solução da situação.

A melhor forma de *transformar a raiva* em algo produtivo é esclarecer o acontecimento e checar a real intenção da pessoa de quem se sente raiva.

É importante encontrar um momento em que os dois estejam calmos e receptivos e você possa dizer-lhe como se sentiu quando ele disse aquelas palavras. *Procure saber qual foi o real motivo da expressão:* se foi um momento de descontrole emocional causado por outras situações ou algum tipo de comportamento ou aprendizagem que precisa ser ajustado.

Dar inteligência a suas sensações e a seus sentimentos significa reconhecer e *expressar honestamente para si mesmo seus impulsos emocionais* mesmo que a princípio eles não pareçam adequados nem convenientes.

Registre no papel seus impulsos ou vontades e analise-os. *Futuramente* você terá a possibilidade de aprimorar a forma de reagir e se expressar, criando opções mais adequadas e de *alta qualidade.*

esteja presente

Visualize o futuro, mas absorva e se concentre no presente, pois nele está a possibilidade de mudança.

Freqüentemente nos distanciamos da hora em que mais precisaríamos estar presentes. A presença é o ato mais curador que você tem.

É o que *aumenta a eficiência,* a consciência e o poder de resolução.

esteja *auto-orientado*

Desenvolva e mantenha esquemas de ação no caos.

Se alguma vez você fez um curso ou teve acesso a textos sobre sobrevivência na selva, sabe que existem procedimentos muito bem definidos para garantir a eficiência e o sucesso do ato de se *orientar em situações* e **ambientes desconhecidos.**

Normalmente se utiliza um *acróstico* expresso pela palavra ESAON:

Estabilize-se, mantenha a calma, não ande nem corra à toa.

Sente-se para descansar e pensar.

Alimente-se, saciando a fome e a sede. Dessa forma terá melhores condições de raciocinar.

Oriente-se, procure saber onde está, de onde veio, para onde quer ir, utilizando-se do processo que melhor se aplique à situação.

Navegue, agora sim, desloque-se na direção selecionada.

Não saia dando tiros em todas as direções.

Para quem gosta e confia
em si mesmo, a satisfação e o sucesso
são coisas tão naturais quanto
a boa saúde.
O indivíduo está seguro de que
tem valor, merece viver e ser feliz.
O mais importante é a forma como você
vê a si mesmo.

esteja confiante

Você:

Tem o direito de ser vitorioso.

Não está no mundo para corresponder às expectativas alheias. Sua vida pertence a você. **Nenhum indivíduo** nem grupo tem o poder de determinar como irá pensar e sentir a respeito de si mesmo.

Tem **o direito de cometer erros,** essa é uma maneira de aprender.

Deve aceitar a realidade de seus problemas, mas não ser dominado por eles.

esteja disposto e eficiente

A maioria das competências que levam alguém ao poder político o torna incompetente para o exercício de suas funções.
A preguiça e a má vontade são inimigas da eficiência. Faça o que tem de fazer e não abuse da benevolência alheia.
Ninguém tem o direito de ficar à espera de que alguma outra pessoa faça aquilo que ele mesmo não está disposto a fazer.

Um homem vinha caminhando pela floresta quando viu uma raposa que perdera as pernas e perguntou a si mesmo como ela faria para sobreviver.

Viu então um tigre aproximar-se com um animal abatido na boca. O tigre saciou a fome e deixou o resto da presa para a raposa.
No dia seguinte, Deus alimentou a raposa usando o mesmo tigre.
O homem maravilhou-se da grandiosidade de Deus e disse a si mesmo:
— Eu também me recolherei num canto, com plena confiança em Deus, e Ele há de prover tudo de que eu precisar.
Assim fez. Mas durante muitos dias nada aconteceu. Estava quase às portas da morte quando ouviu uma voz:
— Ó, tu, que estás no caminho do erro, abre os olhos para a verdade: segue o exemplo do tigre e pára de imitar a raposa aleijada.

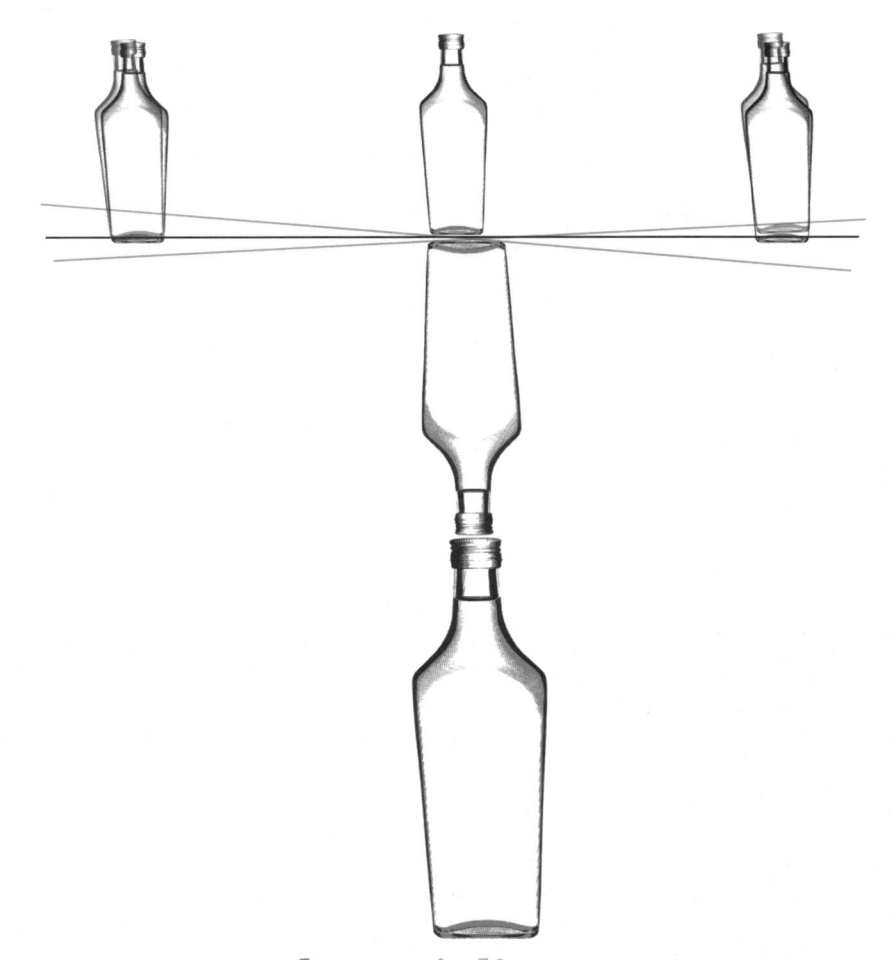

***Saiba** que, quando você diz* "eu não consigo fazer tal tarefa", está dizendo que consegue não fazer tal tarefa...
***Olhando** desse ângulo,* existe alto grau de *eficiência* em conseguir não fazer. Se você consegue não fazer, é bem provável que consiga fazer.

Esteja proativo

Trabalhe em direção ao propósito.
Tenha a capacidade de ver as coisas como realmente são.

Você não consegue banir a escuridão falando da lâmpada.

Você faz isso acendendo **a luz.**

Viver com um espírito evolutivo significa engajar-se com plena ambição e sem nenhuma reserva na estrutura do presente, e ainda assim deixar-se levar e fluir *para uma nova estrutura quando chegar o momento certo.*

Erich Jantsch

:# esteja internamente organizado

Toda situação carrega em si elementos que interagem e influenciam uns aos outros buscando a organização ou a desorganização.

Os estímulos e as exigências do mundo atual literalmente nos desorganizam e desequilibram internamente, provocando em nós o caos. Compreender isso é altamente importante para nosso desenvolvimento e nossa evolução.

Nossa função é criar condições físicas, emocionais e mentais para que nosso organismo possa reconfigurar-se num nível superior de complexidade, mais bem capacitado e estruturado para lidar com o novo ambiente.

Observe as nuvens.

Elas se auto-organizam de *diferentes* formas, transformando-se em tempestades, em furacões ou em chuvas de acordo com sua interação com as partículas vindas de outros ambientes, mas sempre mantendo sua essência: a água.

Podemos também nos transformar em pessoas melhores se confiarmos numa espécie de organização interna de nosso ser quando experimentamos situações estranhas e imprevisíveis.

Assim como a água, dispondo de uma visão panorâmica da situação, de nossas reações e dos elementos nelas envolvidos, podemos organizar formas de agir que nos levem do centro da confusão à superação da situação, facilitando nosso processo de desenvolvimento sem contudo *transgredir os limites de nossa identidade*.

esteja criativo

Para ser criativo, é preciso estar receptivo a novas idéias. Ser criativo é conseguir observar e agir de forma diferenciada, relacionando informações de maneira inteligente e surpreendente mesmo que no início tudo pareça muito estranho.

Quanto mais criativa a pessoa, maiores serão suas chances de pensar e agir eficazmente.

Criar é uma das coisas mais **importantes da vida.**

Trata-se de estar **vivo!!!**

Esteja responsável

"Quem é o responsável?"

Normalmente, *quando fazemos essa pergunta a alguém, queremos mesmo saber quem foi o culpado.*
Estar responsável significa *ter a habilidade de responder de maneira construtiva e prática em direção à resolução de todos os problemas.*

{ **Identifique**
e *esclareça o desafio* (problema, adversidade, necessidade) com a maior precisão possível (clareza).}

{ **Ouça**
informações, busque dados e fatos (evidências) que ofereçam a percepção da situação real (conscientização).}

{ **Esclareça**
e analise os efeitos de seus *pensamentos* e de suas *ações:*

{ O resultado desejado está sendo alcançado?
Quanta energia está sendo gasta para conseguir isso?
Quanto isso pode contribuir para a manutenção do problema?
Essa ação o aproxima ou o afasta de seu objetivo?
Existe outra forma de pensar a respeito desse desafio?

{ **Busque**
a apropriação do desafio (responsabilize-se pelos acontecimentos — se o raio caiu na sua cabeça é porque você estava no lugar que ele atingiu).}

{ **Crie e oriente** *ações positivas para a execução* (foque os resultados).}

Quando um arqueiro erra o alvo,
vai buscar a causa do erro dentro de si mesmo.
Se você não acerta a mosca,
isso não é culpa do alvo.
Para *melhorar sua mira,* melhore a si mesmo.

Provérbio zen

Esteja cooperativo

Aproxime-se das pessoas.
Ajude-as a descobrir suas capacidades e a desenvolvê-las.

Estar cooperativo é trabalhar com a constante compreensão de que os resultados poderão ser maiores se houver integração de ações, *bom relacionamento* entre as pessoas e áreas afins e *sincronia* entre suas atividades.

Se buscarmos trabalhar em equipe com maior capacidade de **adaptação** e **evolução**, isso acontecerá devido à capacidade das pessoas de refletir, *pensar* e agir *conjuntamente*.

Peter Senge

Esteja o
libert

Abdique de sentimentos e pensamentos que gerem a sensação de estar preso, parado, apegado. Remova tudo o que o fizer sentir-se rastejante. Faça com que o rio flua, o filme rode, o carro ande...

Perdoe a si mesmo e aos outros.
Perdoar é não confinar o outro em apenas um de seus atos.

É libertar-se da mágoa (má água)
e deixar-se voar em direção ao infinito.   D e s a p e g u e - s e.

O apego tem sempre como conseqüência o medo.

Quando estamos apegados, temos medo de perder a coisa, a pessoa, a idéia.

{
Esteja protagonista

Livre-se do tédio e da *desmotivação* que o fazem sentir-se vítima dos *acontecimentos*.

Ganhe poder de *afirmação positiva* dotada de *significados* e transforme-se no ator principal de sua vida.

Não se faz o que se quer,
no entanto *se é* responsável pelo que *se é:*

eis o fato.
}

Jean-Paul Sartre

Mesmo uma *vítima desamparada,* numa situação *sem esperanças,* enfrentando um destino que não pode mudar, *pode erguer-se,* crescer acima de si mesma e assim mudar a si própria.

}

Viktor Frankl

Esteja inteligente

Estar inteligente (*inter* = entre, *ilegere* = eleger, escolher) significa saber escolher entre diversas opções.

Uma pessoa que tem apenas uma opção é um autômato.
Uma pessoa que tem duas tem um dilema.
Uma pessoa que tem três ou mais opções está efetivamente exercitando o ato de ser inteligente.

O professor Dumbledore, **personagem do livro e do filme** *Harry Potter e a câmara secreta*, diz uma frase que traduz exatamente o que quero dizer:
"*Não são nossas habilidades que definem quem somos. São nossas escolhas*".

Esteja **inteligente**

Nunca tivemos tantas opções para decidir nosso destino. *Nenhuma escolha será boa,* porém, se não soubermos quem somos.

Peter **Drucker**

Fatores que influenciam o ato inteligente:

1 Quantidade: tenha à *disposição* o maior número possível de escolhas.

2 Qualidade: entre as opções à sua *disposição*, que uma ou algumas tenham qualidade.

3 Escolha: saiba identificar e *escolher* a melhor opção diante da situação.

4 Ação: de nada vale tomar *a decisão* e não agir. A melhor decisão pode se tornar a pior se não agir no tempo certo, na medida certa, na situação certa.

Poema do *budismo* tibetano
sobre hábitos e mudanças

Primeiro Dia:

Eu ando por uma rua.
Há um buraco fundo no meio da rua.
Eu caio no buraco.
Não é minha culpa.
Demora uma eternidade para eu conseguir sair.

Segundo Dia:

Eu ando pela mesma rua.
Há um buraco fundo no meio da rua.
Eu finjo não ver o buraco.
Eu caio de novo.
Não posso acreditar que caí no mesmo lugar,
mas não é minha culpa.
Demora muito para eu conseguir sair.

Terceiro Dia:

Eu ando pela mesma rua.
Há um buraco fundo no meio da rua.
Eu vejo o buraco e,
ainda assim, eu caio no buraco... É um hábito.
Meus olhos estão abertos.
Eu sei onde estou.
É minha culpa.

Quarto Dia:

Eu ando pela mesma rua.
Há um buraco fundo no meio da rua.
Eu dou a volta e não caio no buraco.

Quinto Dia:

Eu ando por outra rua.

{ **Esteja** atento }
A atenção focalizada simultaneamente no seu interior e no ambiente que o cerca não impede que passe por maus momentos, mas permite que neles atue com sabedoria.

Esteja corajoso

A vida se expande ou se encolhe de acordo com a nossa coragem.
Anaïs Nin

Responda com mais firmeza e consistência aos *desafios* e às *dificuldades*.

Esteja sonhador

São os níveis de aspiração de cada pessoa que revitalizam sua energia, metamorfoseando seus sonhos em realidade.

Custa tanto ser uma *pessoa plena* que poucos são os que têm a luz ou a coragem de pagar o preço...

É preciso **abandonar**
por *completo* a *busca da segurança* e *correr o risco de viver* com os *dois braços*.
É preciso **abraçar**
o mundo como um *amante*.
É preciso **aceitar**
a *dor como condição da existência*
É preciso **cortejar**
a *dúvida* e a *escuridão* como preço do conhecimento.
É preciso **ter um desejo**
obstinado pelo conflito, mas também uma capacidade de *aceitação total* de cada conseqüência do viver e do morrer.

Morris L. West, As sandálias do pescador

À guisa de conclusão

A constante busca da resiliência consiste em expandir nossas *liberdades reais, ou seja,* ampliar cada vez mais nossa visão e nossas capacidades e recursos para experimentar e desfrutar as intensidades da vida. *Não esperemos uma vida boa e tranqüila,* mas uma vida ativa, repleta de energia e de desafios. Que tenhamos alto equilíbrio interno diante de alta turbulência *externa.*

Há um ditado chinês que diz que gemas não podem ser polidas sem fricção e homens não podem ser aperfeiçoados sem provas.
Que essas provas possam nos conduzir ao mais digno de todos os propósitos:
tornar-nos seres humanos autênticos, *de sentimentos profundos,* não importando o que a vida nos traga *nem os desafios e as oportunidades que tenhamos de enfrentar.*

Não se afaste. Chegue *bem* perto e encare *a realidade*.

A vida é uma sucessão de desafios a ser superados.

Não enfrente a situação simplesmente porque é importante fazê-lo.

Faça isso porque está totalmente encantado, absolutamente apaixonado ou absurdamente incomodado com as condições de sua vida.

Para adentrar e seguir a trilha do conhecimento, saiba que é preciso ter muita imaginação e coragem. Quem seguir a trilha saberá que nada é tão claro quanto gostaríamos que fosse. O modo como encararmos as *dificuldades é que fará a diferença*.

Os antigos samurais olhavam nos olhos do futuro sem medo e sem arrogância, mas com a confiança de estar prontos para qualquer situação.

Visualize *seu futuro*. Conecte-se com seu propósito mais nobre. Veja nos embates a *oportunidade* de se desenvolver.

Conte com sua força e confiança, *respeite a experiência e a sabedoria de outros seres e, principalmente,* assuma total responsabilidade por aquilo que faz e por aquilo que lhe acontece.

Vamos lá, que o dia mal começou...
Estamos apenas nos aquecendo e caminhando para o início da grande jornada!!!
Sorte e perseverança.

Eduardo Carmello

E no final vão
lhe *perguntar:*
o que é que você fez *da vida?*
E você?
O que vai *responder?*
Nada?

Tchekhov

sugestões de leitura

ARROBA, Tania. *Pressão no trabalho:* stress, um guia de sobrevivência.
São Paulo: McGraw-Hill/ Makron Books, 1988.

CONNER, Daryl R. *Gerenciando na velocidade da mudança.*
Rio de Janeiro: Infobook/IBPI Press, 1995.

FLACH, Frederic. *Resiliência e a arte de ser flexível.*
Rio de Janeiro: Saraiva, 1991.

FRANKL, Viktor E. *Em busca de sentido:* um psicólogo no campo de concentração.
Petrópolis: Sinodal/Vozes, 1991.

GREENBERG, Jerrold S. *Administração do estresse.*
São Paulo: Manole, 2002.

TAVARES, José. *Resiliência e educação.* São Paulo: Cortez, 2001.

Este livro foi impresso pela
Sermograf em papel offset 90 g.